Dimpy gaat naar Dintelmond

Peter Smit

tekeningen van Juliette de Wit

Roos in de regen

Roos zucht.
De regen tikt tegen het raam.
De lucht boven het zomerhuisje is lichtgrijs.
De lucht boven het water is donkergrijs.
In het water ligt een roeiboot.
Die boot is van tante Trui.
Ze zouden vandaag over de Dintel varen.
Omdat het regent, gaat het niet door.

Gisteren ging het ook niet door.
En morgen?
Roos loopt naar de radio.
Ze zoekt naar een zender met nieuws.
Ze hoort een man met een sombere stem.
'Steeds meer boeren raken in problemen.
Een deel van de oogst is mislukt.
Akkers en weilanden staan onder water.
Er dreigt een tekort aan veevoer.
Tenzij het weer snel beter wordt.
En dan volgt nu het weerbericht.'
Roos houdt haar adem in.
Ze is een en al oor.
Ze hoopt zó dat het mooi weer wordt!
Ze hoort papier kraken.
Dan praat de stem weer verder.

‘Eerst lichte regen en rustig weer.
Later vanuit het westen meer wind.
Daarbij kan het gaan onweren.
En dan het weer voor morgen:
In de ochtend veel regen.
Later in de middag nog meer regen.
Dit weerbeeld zal de komende dagen blijven.
Wij wensen u een goede middag.’

Roos zucht nu nog dieper.
Tante Trui kan het in de keuken horen.
‘Wat zucht je, Roos?
Is er wat?’
Roos voelt dat zij boos wordt.
Haar vingers jeuken.
Ze praat haar tante na.
‘Wat zucht je, Roos?’ roept ze kwaad.
‘Is er wat?’
Tante Trui steekt haar hoofd om de hoek.
‘Ben je boos?’
Roos wordt nu nog bozer.
Dat komt door het rijmpje van haar moeder.
Ze haalt diep adem.
Roos probeert zich in te houden.
Maar het lukt niet.
‘Pluk een roos,’ schreeuwt ze keihard.
‘Zet hem op je hoed!

Morgen weer goed!'
Tante Trui fronst haar voorhoofd.
Ze kijkt naar buiten.
'Zag ik daar een streepje licht?
Achter de wolken in de verte?'
Roos loopt meteen naar het raam.
Zou de zon toch komen?
Ze tuurt met bonzend hart naar buiten.
Dan klinkt er een harde donderklap.
KABOEM!
Roos springt van schrik de lucht in.
De ramen van het huisje trillen.
Buiten wordt het opeens donker.
Er klinkt nog een klap, en nog een.
De regen komt met bakken omlaag.
De druppels roffelen op het dak.
Het water gutst langs de ramen.

Roos staat te trillen op haar benen.
Tante Trui slaat een arm om haar heen.
'Kop op, meid,' zegt ze.
'Niet schrikken van een beetje bliksem.'
Roos knikt.
'Als de regen maar ophield,' zegt ze.
'Dan konden we tenminste iets doen.
Lekker met de roeiboot varen.
En picknicken op het eilandje.'

Tante Trui klopt op haar schouder.
'Kop op, meid,' zegt ze.
'Regen is goed voor het gras.'
Daar moet Roos weer van zuchten.
Ze vindt tante Trui heel leuk.
Maar tante kan van die stomme dingen zeggen.
Zoals: regen is goed voor het gras.
Of: in de woestijn zijn ze blij met regen.
Of: wat vandaag valt, valt morgen niet.
Van die dingen die wel kloppen.
Maar waar je verder niets aan hebt.
Zeker niet als het vakantie is.
En het al een week aan één stuk regent.
Dan denkt Roos aan de weerman.
Morgen wéér de hele dag regen.
Ze moet weer heel diep zuchten.

Tante Trui klopt zachtjes op haar rug.
'Kop op, meid!
In de woestijn zijn ze blij met regen.
Het wordt heus wel beter weer.
Je moet maar zo denken:
Wat vandaag valt, valt morgen niet.'
Dan klinkt er weer een donderslag.
KABOEMBOEM!!
Zelfs tante Trui schrikt zich een hoedje.
'Dat was hier,' zegt ze.

Haar stem trilt.
'Roos!
De bliksem is ingeslagen!'
Buiten wordt opeens alles licht.
Weer knalt de donder.
Dan ziet Roos het.
Ze wijst naar buiten.
'Kijk tante!' roept ze.
'De boom!'
Tante Trui staat stijf van schrik.
De boom valt langzaam om.
Hij valt dwars over het grasveld.
De waslijn breekt.
De tuinstoelen zijn plat.
'Dit pik ik niet,' roept tante Trui opeens.
'Roos, pak je rugzak in.
We gaan naar Frankrijk!'

Een tent aan het strand

Roos knippert met haar ogen.
Ze knijpt in haar arm.
Dat doet pijn!
Het is dus echt waar, denkt ze.
Ik zit in een vliegtuig.
Naast mij zit tante Trui.
Wij vliegen samen naar Frankrijk.
Drie uur geleden was ik in Dintelmond.
Maar nu ben ik hoog in de lucht.
Roos kijkt uit het raampje.
Onder het vliegtuig zijn bergen.
Bergen met sneeuw erop.
Naast het vliegtuig zijn wolken.
Die lijken op bergen sneeuw.

Roos kijkt naar tante Trui.
Ze denkt aan wat haar moeder zei.
Vlak voordat ze uit logeren ging.
'Tante Trui is een beetje raar.
Het lijkt of ze heel gewoon is.
Tot ze ergens boos om wordt.
Dan doet ze dingen die je niet verwacht.
Laatst wilde ze met de boot naar Texel.
Die boot voer vlak voor haar neus weg.
Kwaad dat tante Trui was!

“Je gaat te vroeg,” schreeuwde ze.
“Kijk maar op de klok!”
Tante Trui had gelijk.
Maar de stuurman maakte een lange neus.
Toen dook tante Trui het water in.
Ze zwom achter de boot aan.
Aan de overkant greep ze de stuurman beet.
Ze pakte zijn pet af.
Die gooide ze in het water.
En ze schreeuwde tegen de stuurman:
“Niet meer te vroeg weggaan, mannetje!
Anders ga jij ook de zee in!”
Zo raar kan tante Trui soms doen.
Maar je moet niet bang zijn.
Want het loopt altijd goed af.’

Roos is daarom niet bang.
Maar ze vindt het wel vreemd.
Zomaar naar Frankrijk vliegen?
Dat kan toch niet?
Tante Trui stoot haar aan.
'Riemen vastmaken, Roos.
We gaan landen!'

Een uur later loopt Roos over een pad.
Het is het pad naar de camping.
Opeens schiet Roos iets te binnen.

Ze schrikt ervan.
'Tante Trui!
Dit kan toch niet!
We gaan naar een camping.
En we hebben niet eens een tent!'
Tante Trui begint te lachen.
'De tent staat er al, Roos.
Ik heb een tent gehuurd.
Er zit een koelkast in, en echte bedden.
Die tent staat pal aan het strand.
We kunnen zo de zee in duiken.'

Even later staan ze bij de tent.
Er staan echte bedden in.
En er is ook een koelkast.
Maar de tent staat niet aan het strand.
Tante Trui ziet het ook.
Ze roept de baas van de camping.
'Hoe kan dat nou?' zegt ze.
'Ik huur een tent met uitzicht op zee.
Maar ik zie helemaal geen zee.
Ik zie alleen maar andere tenten!'
De baas van de camping knikt.
Hij zet zijn pet schuin op zijn hoofd.
En krabt achter zijn oor.
'Die tenten staan voor uw uitzicht.
Achter die tenten is de zee.

U had een maand eerder moeten komen.
Toen stonden die tenten er nog niet.
Het uitzicht was toen echt prachtig.
Nu bent u te laat.'
Tante Trui kijkt boos.
Roos houdt haar adem in …

Wat zou tante Trui gaan doen?
Zou ze de pet van de baas afpakken?
En die pet in het water gooien?
Of op een heel hoge boomtak?
Roos kijkt haar tante aan.
Die ademt diep in en uit.
En telt daarna langzaam tot tien.
'Ik begrijp het,' zegt ze.
En tante Trui gaat de tent in.
De baas van de camping kijkt verbaasd.
Hij draait zich om en loopt weg.
Het grind knarst onder zijn schoenen.
Roos kijkt hem na.
'Pssst,' sist tante Trui.
'Roos, is hij weg?'
'Bijna,' fluistert Roos terug.
Tante Trui steekt haar hoofd uit de tent.
De campingbaas loopt de bocht om.
'Snel Roos!
We gaan onze tent ergens anders zetten.

Maak jij de touwen los.
Dan trek ik de pennen uit de grond.
Geen lawaai maken, hoor!
Niemand mag het merken!'

Even later staat de tent aan het strand.
'Hier hebben we beter uitzicht,' zegt tante Trui.
'Kijk maar, Roos.'
Roos kijkt.
De zee is prachtig blauw.
'Goed van mij, hè,' zegt tante Trui.
'Dit zien we voortaan elke ochtend.
Een uitzicht om blij van te worden!'
Roos hoort geknerp achter zich.
De baas van de camping kijkt boos.
'Wat is dit?' roept hij.
'Jullie mogen dit niet doen!

Zo hebben de andere mensen geen uitzicht!'
Tante Trui knikt.
'Dat komt omdat ze te laat zijn.
Vorige week stond deze tent er nog niet.
Toen was hun uitzicht echt prachtig!'

Windsurfen op zee

De volgende dag staat Roos vroeg op.
Tante Trui is al wakker.
Ze heeft haar zwempak aan.
'Kom, Roos.
Er staat een lekker windje.
We gaan windsurfen!'

Op het strand waait het flink.
De rode vlag wappert.
Tante Trui trekt een surfplank uit het rek.
Ze zet de mast rechtop.
En sleept de plank het water in.
'Hé hé!' roept iemand.
'Dat kan niet, mevrouw!'
Roos draait zich om.
Het is de strandwacht.
Hij zwaait met zijn armen.
Een jongen komt aanrennen.
Hij zwaait ook met zijn armen.
'U mag vandaag niet surfen!
Het waait veel te hard!'
Tante Trui vindt dat onzin.
'Het waait helemaal niet te hard.
Jullie zijn allemaal gek.
Ik kom uit Holland.

Ik weet heus wel wat harde wind is.
Dit is gewoon een lekker briesje.'
De jongen rent het water in.
Tante Trui springt op de surfplank.
De wind blaast vol in haar zeiltje.
Ze krijgt meteen al flink vaart.
'Stop! Stop!' roept de jongen.
Maar tante stuift er op haar surfplank vandoor!
De strandwacht en de jongen roepen door elkaar.
'Kom terug!'
'Het is vandaag verboden te surfen!'
'Breng die surfplank terug!'
Eerst moet Roos erom lachen.
Maar dan kijkt ze naar tante Trui.
Die gaat nu wel heel erg hard.
En ze is ook wel heel erg ver!
Roos schrikt.
'Tante Trui,' roept ze.
'Niet zo ver!'

Dan gaat het opeens harder waaien.
Roos voelt het zand tegen haar benen stuiven.
Haar haren waaien voor haar ogen.
Roos veegt ze snel opzij.
Ze kijkt weer naar tante Trui.
Maar die is nergens meer te zien.
'Ze heeft niet eens betaald,' zegt de jongen.

‘Ze pakte zomaar een surfplank.
En nu is ze weg.’
Roos huivert.
Ze zoekt de zee af.
Maar van haar tante ziet ze geen spoor ...

De strandwacht en de jongen gaan hulp halen.
Roos blijft op het strand achter.
Ze voelt zich heel eenzaam.
En ze is heel erg ongerust.
Tante Trui zou toch niet …
Ze durft er niet aan te denken.

Het gaat steeds harder waaien.
Roos zit op het strand.
Het zeil van de surfplank was rood.
Toch?
Of was het wit?
Ze speurt de zee af.
Haar ogen doen er pijn van.
Er vliegt een helikopter over.
Er vaart een motorboot voorbij.
Maar een uur later zit Roos er nog.

Het wordt al bijna donker.
De wind giert.
Roos huilt heel zacht.

‘Tante Trui,’ snikt ze.
‘Waar ben je?’
Ze kijkt nog één keer naar de zee.
Wat ziet ze daar?
Tante Trui!
Maar wat is dat?
Tante Trui zit rechtop!
Roos kijkt haar ogen uit.
Hoe kan dat nu?
Tante Trui zit recht op een golf!
En ze komt heel snel dichterbij!
Haar tante is bijna bij het strand.
Dan ziet Roos het.
Tante zit op een dolfijn.
Een dolfijn die keihard zwemt.
‘Roos!’ roept tante Trui.
‘Ik ben gered door een dolfijn!’

Tante vertelt haar verhaal

Het nieuws gaat als een lopend vuurtje.
Steeds meer mensen komen uit hun tenten.
Ze staan in een kring om tante Trui.
Die vertelt wat er gebeurd is.
'Ik scheerde over de golven.
Maar ik vergat hoe hard ik ging.
Toen ik omkeek, zag ik overal water.
Nergens was een stukje land te zien!
Dat was schrikken!
Toen begon het nog harder te waaien.
Ik voelde een enorme windstoot!
Die blies mij zó van mijn surfplank.
Ik viel in zee en riep om hulp.
Niemand hoorde mij.
Ik zwom uit alle macht.
Maar waar moest ik heen?
Er was geen land in zicht!
Ik ga ten onder, dacht ik.
Toen kwam deze dolfijn mij te hulp.
Hij tilde mij op en bracht mij thuis.
Dankzij hem kan ik dit verhaal vertellen.'
De mensen knikken.
Ze kijken vol ontzag naar tante Trui.
Een paar mensen nemen foto's.
Roos vindt dat een beetje raar.

Tante Trui heeft toch iets doms gedaan?
Waarom kijkt iedereen dan vol ontzag naar haar?
Ze moeten vol ontzag naar de dolfijn kijken!

De dolfijn zwemt rondjes in zee.
Roos stapt het water in.
De dolfijn zwemt naar haar toe.
Dat vindt Roos best een beetje eng.
Want de dolfijn is heel groot.
Hij is wel drie meter lang.
Roos steekt voorzichtig haar hand uit.
De dolfijn voelt nat en glad.
Hij wrijft met zijn snuit langs haar been.
En duwt Roos naar het diepe water.
Roos aarzelt even.
Er zou toch niets engs gebeuren?
Ze zwemt een paar slagen met hem mee.
Tot waar ze nog net kan staan.
Verder durft ze niet.
De dolfijn verdwijnt onder water.
Even later springt hij uit de golven omhoog.
Op zijn staart zwemt hij vooruit.
Pas na een heel stuk duikt hij onder.
Roos klapt in haar handen.
'Bravo!' roept ze.
'Wat een mooie duik was dat!'

Roos zwemt een stukje verder.
Nu kan ze niet meer staan.
Maar ze vergeet om bang te zijn.
Zo mooi vond ze de sprong!
Ze kijkt om zich heen.
Waar is de dolfijn gebleven?
Ze ziet hem niet meer.
Dan voelt ze iets onder haar voeten.
Ze schrikt er even van.
Tot ze omhoog wordt getild.
Hoger gaat ze, steeds hoger.
Ze kijkt onder zich.
Daar is de dolfijn.
Hij heeft haar op zijn nek genomen.
Ze is nu wel een meter boven water!
En nu twee meter!
Dan valt Roos met een plons in zee.
'Nog een keer, Dimpy,' roept ze.
'Wat een leuk spel!'
Dimpy, denkt ze dan.
Hoe kom ik op die naam?
Heb ik die zomaar bedacht?
Roos denkt er niet lang over na.
Dimpy de dolfijn tilt haar weer op.
Weer valt ze met een plons in zee.

Dimpy maakt een mooie salto.

En daarna een supersprong.
De mensen op het strand zien het ook.
Ze klappen in hun handen en juichen.
Maar dan gebeurt er iets vreemds.
Dimpy duikt onder.
Hij houdt zijn kop onder water.
Met zijn staart gooit hij een bos zeewier.
Die vliegt met een boog door de lucht.
En landt op de pet van de campingbaas.
Die steekt zijn armen in de lucht.
En springt wild op en neer.
'Wat is dat,' roept hij telkens.
De strandwacht komt te hulp.
Dan vliegt er weer iets door de lucht.
'Pas op!' roept Roos.
De strandwacht kijkt om.
Maar het is te laat.
Hij krijgt het zeewier boven op zijn pet.
Roos kijkt naar Dimpy.
Dit was per ongeluk, denkt ze.
Tot ze de kop van Dimpy ziet …
De dolfijn kijkt heel ondeugend.
Het lijkt alsof hij stiekem lacht.
Hij doet het expres, denkt Roos.
Zou hij een hekel aan grote mensen hebben?
Maar waarom heeft hij tante Trui dan gered?
Roos begrijpt het niet goed.

Ze ziet dat Dimpy om zich heen kijkt.
Hij zoekt naar iets, weet Roos.
Iets waarmee hij kan gooien.
Het is gewoon een grote pestkop!

Roos blaast haar strandbal vol met lucht.
Op die bal staat een landkaart.
De zee waarin ze zwemmen staat erop.
En alle landen van de wereld.
Roos gooit de bal naar Dimpy.
Die vangt hem op met zijn neus.
En slaat hem met zijn staart terug.
Roos pakt de bal en zwemt naar Dimpy.
Ze wijst aan waar ze zwemmen.
Haar vinger glijdt over de landkaart.

Van de ene zee naar de andere.
Tot ze bij Dintelmond is.
'Daar woon ik,' zegt ze tegen Dimpy.
Die knikt.
Maar of hij het ook begrijpt …

Terug naar huis

De hele week speelt Roos met Dimpy.
Samen maken ze mooie salto's.
Roos mag op Dimpy's rug gaan staan.
Daarna gaat Dimpy heel hard rondjes zwemmen.
Zo lijkt het alsof Roos op water loopt!
De mensen op het strand kijken ernaar.
Ze lachen en ze klappen.
Roos en Dimpy komen in de krant.
Het verhaal van tante Trui staat erbij.
Tante Trui is heel trots.
'Kijk eens, ik lijk wel een filmster!'

Maar niet iedereen is blij.
De campingbaas durft het strand niet op.
En de strandwacht kan niet werken.
Hij moet op een hoge stoel zitten.
Zodat hij goed uitzicht heeft.
Maar dat gaat niet meer.
Zodra hij hoog zit, begint Dimpy te gooien.
Hij smijt met grote bossen zeewier.
Totdat de strandwacht dekking zoekt.

De jongens van de surfclub balen ook.
Die willen samen een wedstrijd doen.
Ze dragen petten met nummers erop.

Maar Dimpy zit hen dwars.
Hij botst tegen de surfer die voorop ligt.
En duwt de surfplank achteruit.
Daarna gooit hij een ander om.
Dan duikt hij over een derde surfer heen.
Daarbij maakt Dimpy een grote plons.
De surfer valt van schrik achterover!
Eerst moeten de surfers erom lachen.
Maar na een paar keer worden ze boos.
'Hoepel op, stomme vis!' roept iemand.
Roos wordt daar boos om.
'Hij is geen vis,' roept ze.
'Hij is een dolfijn!
En een dolfijn is een zoogdier.
Net als jij en ik!'
De jongen haalt zijn schouders op.
'Die vis moet weggaan,' roept hij.
'Anders gaat hij de koekenpan in.
Smaakt lekker bij patat met ketchup!'

De jongen lacht om zijn eigen grap.
Maar even later lacht hij niet meer.
Eerst gooit Dimpy hem van zijn surfplank.
Daarna bijt Dimpy de jongen in zijn bil.
Hij sleept hem terug naar het strand.
'Au! Au!' roept de jongen telkens.
'Laat me los!'

Dimpy gooit de jongen uit de zee.
Hij rolt over het strand.
Nu moet Roos lachen.
'Gebakken bil van een surfer,' roept ze.
'Lekker bij patat met appelmoes!'
De jongen trekt zijn petje recht.
Hij kijkt boos.
'Wanneer gaan jullie weg?' vraagt hij.
'Morgen,' antwoordt Roos.
Ze schrikt er een beetje van.
Is de vakantie morgen al voorbij?
Ze telt de dagen op haar vingers.
Jammer genoeg klopt het.
'Dat ruimt lekker op,' zegt de jongen.
'Nemen jullie die vis mee?
Dat beest verpest mijn hele vakantie.'

Die avond is Roos heel treurig.
Morgen moet ze afscheid nemen van Dimpy …
Maar het wordt nog erger.
Tante Trui krijgt telefoon.
Het vliegtuig vertrekt eerder.
Er is geen tijd om afscheid te nemen …

Roos is heel treurig

In Dintelmond schijnt de zon.
Tante Trui wil roeien op de Dintel.
Maar Roos wil niet mee.
Ze wil ook niet iets anders doen.
Treurig kijkt ze uit het raam.
En 's avonds gaat ze treurig naar bed.
Tante Trui probeert Roos te troosten.
'Ik snap het goed, Roos.
Je mist Dimpy vast heel erg.
Ik voel met je mee.'
Roos wordt daar nog treuriger van.
Ze wil niet dat tante het snapt.
Tante Trui moest zo nodig het vliegtuig halen.
Dat was echt onzin.
Ze konden toch een ander vliegtuig nemen?
Nu snapt Dimpy niet waar ik blijf.

Roos voelt tranen in haar ogen.
Ze zucht heel diep.
Dan loopt ze naar de radio.
Misschien helpt een vrolijk liedje een beetje.
Ze drukt de knop in.
Iemand leest het nieuws voor.
'In Spanje is een viswedstrijd verstoord.
De wedstrijd was van visclub De Rode Baret.

Zij stonden op het strand te vissen.
Toen zij met bossen zeewier werden bekogeld.
Dat zeewier werd vanuit zee gegooid.
Hoe het kan is nog een raadsel.'
Roos kijkt er vreemd van op.
Het is wel erg toevallig, denkt ze.
Ik zet de radio aan.
En meteen hoor ik dit bericht.
Heb ik het echt wel goed gehoord?
Roos laat de radio aan staan.
Misschien komt het bericht nog een keer.
Maar dat gebeurt niet.
'Zie je wel,' mompelt Roos.
'Ik heb het maar bedacht.'
Ze zucht nog eens heel diep.
Daarna gaat ze naar buiten.
Tante Trui zaagt de takken van de boom.
Die ligt nog steeds dwars op het grasveld.
Roos gaat tante Trui helpen.
Samen zagen ze een dikke tak doormidden.
'We gaan stoppen,' zegt tante Trui.
'Het is genoeg voor vandaag.
Morgen gaan we verder.'

De volgende middag zet Roos de radio aan.
Ze hoort de nieuwslezer weer.
'In Engeland is een wedstrijd surfen afgelast.

De oorzaak was een dolfijn.
Het dier gooide de koploper van zijn plank.
Morgen wordt er opnieuw gestart.'
Even kan Roos geen woord zeggen.
'Tante Trui!' roept ze dan.
'Hoorde je de radio?
Een dolfijn is surfers aan het pesten!
Volgens mij is het Dimpy!'
Tante Trui kijkt daar vreemd van op.
'Ik hoorde niets,' zegt ze.
'Heb je het niet gedroomd, Roos?'

Een dag later kijkt Roos televisie.
Tante Trui zit naast haar op de bank.
Op tv is een wedstrijd aan de gang.
Het gaat erom wie de mooiste is.
Die mag 'Miss Noordzee' worden.
Wel veertig meisjes doen mee.
Ze lopen achter elkaar over het strand.
Een mijnheer met een pet geeft punten.
Bij elk punt juicht het publiek.
Maar opeens beginnen ze van schrik te gillen.
Roos kijkt op.
Wat is er aan de hand?
Dan ziet ze het.
De man met de pet is door zeewier geraakt.
Roos zit meteen rechtop.

Ze kijkt naar de zee.
En ja hoor: daar zwemt Dimpy!
'Kijk Roos, kijk!' gilt tante Trui.
'Het is onze dolfijn!
Kom mee, we gaan naar het strand!'
Tante Trui springt overeind.
Maar Roos denkt opeens aan haar strandbal.
Ze heeft Dimpy gewezen waar ze woont.
Zou hij het dan toch gesnapt hebben?
Dan kunnen ze beter thuisblijven.

Roos heeft gelijk.
Na een paar uur ziet ze een rugvin.
Dimpy springt uit het water omhoog.
Roos moet even huilen van blijdschap.
Ze slaat haar armen om Dimpy heen.
Een uur lang spelen ze samen.
Dan schraapt tante Trui haar keel.
'Dimpy moet eigenlijk terug naar zee,' zegt ze.
'Zoet water is niet goed voor een dolfijn.'
Roos en tante Trui stappen in de roeiboot.
Ze varen naar de sluis.
Daar neemt Roos afscheid.
'Tot ziens, Dimpy.
Volgend jaar komen we weer naar Frankrijk.
Ja toch, tante Trui?'
Tante Trui knikt.

De sluisdeuren gaan open.
Dimpy zwemt erin.
Maar hij zwemt er meteen weer uit.
Dit doet hij wel tien keer.
De sluiswachter wordt boos.
'Hij is mij aan het pesten,' moppert hij.
Opeens ziet Roos het.
De sluiswachter heeft een pet op.
'Zet uw pet eens af,' zegt Roos.
De sluiswachter doet het.
Dan zwemt Dimpy de sluis in.
De deuren gaan dicht.

'Opeens snapte ik het, tante Trui,' zegt Roos.
'De strandwacht droeg een pet.
En de jongens van de surfclub ook.
Dimpy heeft gewoon een hekel aan petten!'

Spetter

In Spetter 4 zijn verschenen:

Serie 4
Arend van Dam: Een held op sokken
Stef van Dijk: Wat een avontuur
Vivian den Hollander: Spekkie en Sproet en het verdwenen beeld
Anton van der Kolk: Een hoge pieptoon
Martine Letterie: De tweelingclub
Paul van Loon: De papoes
Nanda Roep: Getsie Gertje
Frank Smulders: Zoen me

Serie 5
Ivo de Wijs: De brug van Bons
Colette Li: De vlieghoed
Marcel van Driel: Een elfje in de sneeuw
Koos Meinderts: De winter van opa Vlok
Dinie Akkerman: Mam, ik kan toveren!
Peter Smit: De nachtkapper
Hermine Landvreugd: Sofie en de vergeetziekte
Vivian den Hollander: Spekkie en Sproet en de man met de hoed

Serie 6
Peter Vervloed: In de war
Colette Li: De praatstoel
Peter Smit: Dimpy gaat naar Dintelmond
Els Rooijers: De verliefde Bulle
Vivian den Hollander: Wat is er met Bobbie?
Elisabeth Mollema: Gevraagd: stoute kinderen
Lidewij van den Eerenbeemt: Zegge en Wikke
Hendrickje Spoor: Een vriend onder je bed

Spetter is er ook voor kinderen van 6 en 8 jaar.

Boeken met dit vignet zijn op niveaubepaling geregistreerd en gecontroleerd door KPC Groep te 's-Hertogenbosch.

0 1 2 3 4 5 / 07 06 05 04 03

ISBN 90.276.4965.0 • NUR 282

Vormgeving: Rob Galema
Logo Spetter en schutbladen: Joyce van Oorschot

Voor België:
Zwijsen-Infoboek, Meerhout
D/2003/1919/409